Nombreux sont ceux qui pensent encore que la marche est réservée aux personnes qui, pour des raisons de santé, ne peuvent pas courir. Erreur ! Aux États-Unis, le pays du fitness, le nombre de marcheurs a depuis longtemps dépassé celui des coureurs. La marche est le nouveau sport doux à la mode, parce que la marche rapide est idéale pour la silhouette et la forme, tout en ménageant les articulations. Sollicitant pleinement chaque muscle, elle permet de brûler plus de graisses que le jogging. Et la bonne humeur n'est pas en reste ! En avant, marche !

Sommaire

Les bases de la marche

Entraînement pas à pas !

Quel est **votre objectif ?** 34

Les bases de la **Marche**
Mode d'emploi
pour
les débutants

De votre niveau de forme à la tenue idéale, en passant par la bonne respiration et la prise de votre pouls, vous devez acquérir quelques connaissances avant de vous lancer. Nous vous dirons aussi comment persister dans votre effort.

La marche rapide,

pas le jogging

Bonne nouvelle pour tous ceux et celles qui sont réfractaires aux sports de performance exténuants :

Le moins est l'ami du mieux !

L'époque des entraînements intensifs est révolue. Il ne s'agit plus de courir jusqu'à l'épuisement, mais dans la sérénité. Même les coureurs les plus convaincus ont appuyé sur la pédale de frein pour ne plus être à bout de souffle, mais les ligaments, les articulations et les tendons continuent d'être sollicités de façon excessive par la pratique du jogging, ce qui accroît le risque de blessure. Les maux typiques des joggers sont les entorses des chevilles, les douleurs au niveau de l'articulation du genou, l'usure des ligaments et l'inflammation du talon d'Achille.

La marche constitue l'alternative la plus douce et la plus saine. N'est-elle pas, en effet, le moyen de locomotion naturel de l'homme ?

Une question d'habitude

Certaines personnes hésitent à se lancer, parce que les marcheurs attirent encore les regards dans notre pays. On confond aussi souvent la marche rapide avec la marche olympique, dont les mouvements sont effectivement quelque peu étonnants. Les Américains sont depuis longtemps habitués à voir des marcheurs. Dans son pays d'origine, la marche rapide a été adoptée par tous ceux pour qui le jogging est trop fatigant et les simples promenades trop ennuyeuses.

En douceur

Le terme de « marche rapide » sous-entend que les marcheurs expérimentés peuvent atteindre des vitesses élevées. Mais même à vive allure, le marcheur normal heurte le sol avec à peine plus que son poids, car il a toujours un pied à terre. Le jogger, au contraire, décolle à chacun de ses pas. Des études ont montré qu'il

info

UN SPORT POUR TOUS

La marche rapide, qui ne comporte presque aucun risque de blessure et de surentraînement, est un sport d'endurance idéal pour tous. Peu fatigant, il séduira même les plus paresseux. Il ne requiert aucune condition préalable, juste la volonté et l'envie de faire du bien à son corps.

« s'écrase » contre le sol avec l'équivalent de trois ou quatre fois son propre poids. Pas étonnant dans ces conditions que les articulations des hanches, des genoux et des chevilles soient mises à rude épreuve.

660 muscles marchent de concert

La marche rapide est une marche dynamique. Dès le niveau le plus faible, l'allure est plus vive qu'en promenade. Vous pouvez ensuite augmenter la vitesse à votre guise. En cas de marche rapide faisant intervenir les bras, la presque totalité des 206 os et des

660 muscles du corps humain sont sollicités. C'est une bonne manière d'entretenir forme et santé. La marche rapide permet non seulement de prévenir bon nombre de maladies, comme les problèmes cardio-vasculaires, l'ostéoporose ou diverses infections, mais aussi de perdre du poids.

C'est parti

Plus mince à chaque pas : avec la marche rapide, vous laissez les kilos sur le bord de la route, et ce, de manière durable, car votre métabolisme apprend à travailler plus vite. La marche rapide ne vous fait pas maigrir seulement en vous faisant brûler une plus grande quantité de calories, mais également par une dépense accrue d'énergie due à un renforcement de l'effort. L'important est toutefois de savoir dans quelles réserves cette énergie est puisée.

● Pour les efforts de courte durée, l'organisme puise l'énergie essentiellement dans ses réserves de glucides. Ce n'est qu'ensuite qu'il entame ses réserves de graisse.

Inutile de pousser l'effort jusqu'à l'épuisement total. Ce n'est pas bon pour la santé et cela ne vous fera pas maigrir.

● Il convient également de ne pas perdre le pouls de vue. Pour brûler beaucoup de graisse, il faut marcher lentement. En cas d'effort anaérobie, ce sont les glucides, et non la graisse, qui sont brûlés.

Aérobie ou anaérobie ?

Si vous adoptez le rythme du jogging, vous effectuez un effort anaérobie. Votre organisme subit alors un déficit d'oxygène et, au lieu des graisses, il ne brûle que des glucides, sous la forme de glucoses.

Pour brûler des graisses, le corps a besoin d'oxygène en quantité suffisante. Or, il ne peut en bénéficier que lors d'un effort au rythme mesuré. C'est pourquoi la marche rapide est qualifiée de sport aérobie (du grec *aer* : oxygène).

Il n'y a que de
bonnes raisons
pour marcher

Spécialiste du fitness, Jürgen Decrusch énonce ici ces raisons. Ce professeur de sport diplômé et entraîneur personnel est le conseiller technique de cet ouvrage (voir page 48 pour plus d'informations). Grâce à lui, ses clients retrouvent la forme au rythme de la marche et il sait que les marcheurs ont tout à gagner. Les kilos et le stress restent sur le bord de la route.

La forme pour tous

Pas de fatigue excessive, pas d'épuisement de l'organisme, praticable partout et tout le temps, ne générant que des effets secondaires positifs : la marche rapide est tout simplement le sport idéal pour tous les âges et tous les niveaux.

Faire fondre les kilos superflus

L'organisme étant mis à contribution de manière ciblée pendant un laps de temps plus long, une grande partie des dépôts de graisse qu'il contient est brûlée. Il a été démontré que la marche rapide permet de réduire le pourcentage de masse graisseuse.

Une énergie positive

La marche normale devient une action consciente. Cela se répercute jusque dans votre vie de tous les jours : vous avancez le dos droit, d'un pas rapide et précis, les bras détendus. La force et l'énergie émanent de vous.

Travail des principaux muscles

Les muscles des jambes et des fesses sont sollicités de manière intensive. Les hanches participent à l'effort et les muscles du torse et des bras sont, eux aussi, renforcés. L'ensemble du corps gagne ainsi en souplesse.

Bien-être psychologique

Quand vous marchez, votre cerveau est alimenté de manière importante en oxygène. Votre esprit se libère et votre capacité de réflexion est accrue. De plus, cela stimule la sécrétion de l'hormone de créativité, l'ACTH (hormone adrénocorticotrophe).

Plus d'efficacité et d'endurance

L'efficacité se trouve renforcée du fait de l'augmentation de la capacité d'absorption de l'oxygène. La fatigue se fait ressentir moins vite et le stress devient plus facile à combattre, car le système nerveux végétatif s'adapte et l'organisme sécrète moins d'hormone de stress.

Un système cardio-vasculaire en forme

Un cœur entraîné a besoin de battre moins souvent. Le muscle cardiaque pompe une plus grande quantité de sang. L'amélioration de l'activité cardiaque réduit le risque d'infarctus du myocarde et permet de lutter contre l'hypertension.

Protection contre l'ostéoporose

À partir de 40 ans, la masse osseuse diminue de 0,5 % à 1,5 % par an. La marche rapide ralentit cette baisse et contribue même à la reconstitution des os. En effet, le calcium issu de l'alimentation, qui fortifie les os, ne peut être assimilé par ces derniers qu'en cas d'effort régulier.

Un système immunitaire plus fort

Le système de défense de l'organisme lutte en permanence contre les bactéries et les virus. Le manque d'activité physique affaiblit le système immunitaire. À l'inverse, la pratique d'un sport de marche aérobie permet d'augmenter le nombre de cellules de défense. L'efficacité du système immunitaire est renforcée de plus de 30 % par rapport aux personnes allergiques au sport.

D'attaque
pour un tour ?

Votre check-up personnel

Les trois exercices suivants vous permettront de déterminer votre forme actuelle et le programme de marche rapide (pages 34 et suivantes) correspondant.

➤ L'évaluation du test est simple : pour chaque exercice, cochez la réponse a, b ou c. La lettre rassemblant le plus de réponses correspond à votre niveau de forme actuel.

Pour le premier exercice, munissez-vous d'une montre avec trotteuse.

Bonne chance !

1. Résistance

➤ Pieds nus et jambes écartées de la largeur des épaules, appuyez le dos contre un mur ou un arbre. Tout en gardant le dos posé sur le mur/l'arbre, faites-vous glisser vers le bas jusqu'à ce que vos cuisses soient

Test de résistance, le dos appuyé contre un arbre ou un mur : combien de temps pouvez-vous maintenir cette position sans difficulté ?

à l'horizontale. Placez les pieds vers l'avant de manière que vos jambes forment un angle droit. L'objectif de cet exercice est de maintenir cette position le plus longtemps possible. Gardez bien le dos contre le mur/ l'arbre.

Combien de temps avez-vous tenu ?

a Moins de 20 secondes.

b Moins de 40 secondes.

c Plus d'une minute.

2. Condition physique

➤ Il s'agit maintenant de monter un escalier. Rendez-vous à pied jusqu'au sixième étage (environ 100 marches). Portez de préférence des chaussures de sport. Avant de commencer, prenez votre pouls et notez le nombre de battements de cœur par minute. Grimpez les escaliers à un rythme le plus mesuré possible, marche par marche. Une fois arrivé, prenez de nouveau votre pouls.

De combien de battements votre pouls a-t-il augmenté ?

a Vous avez eu besoin d'au moins une pause et êtes complètement hors d'haleine. Votre pouls a augmenté de plus de 50 battements par minute.

b Vous ne vous êtes pas arrêté en cours de route, mais votre respiration est plus rapide et votre pouls a augmenté de 40 à 50 battements par minute.

c Vous êtes arrivé au but sans difficulté. Votre pouls et votre respiration ont à peine été modifiés. Vous comptez au maximum 30 battements de plus qu'avant le début de l'exercice.

Test de souplesse : jusqu'où pourrez-vous étirer votre dos et vos jambes ?

3. Mobilité

➤ Assis sur le sol, jambes tendues. Joignez les chevilles et tendez les genoux. En gardant le dos le plus droit possible, pliez le buste vers l'avant de manière que vos mains touchent vos pieds et que le bout de votre nez se rapproche de vos genoux. Effectuez le mouvement lentement, sans précipitation. Essayez de maintenir la position d'étirement maximal pendant au moins 10 secondes, avant de vous redresser.

Jusqu'où est allé le bout de vos doigts ?

a Vous avez eu du mal à atteindre simplement vos chevilles – impossible de maintenir la position, vous avez ressenti une tension dans le dos et les jambes.

b Vous êtes parvenu à amener le bout de vos doigts jusqu'à vos chevilles, mais vous n'avez pas pu maintenir cette position pendant 10 secondes.

c Vous avez pu attraper le bout de vos pieds sans difficulté

et effectuer l'exercice d'étirement jusqu'au bout.

Résultat du test

Maximum de a : Vous n'êtes pas au meilleur de votre forme. Il est grand temps de prendre votre corps et votre santé en main. Nous vous conseillons de commencer par notre programme de base pour débutants (page 36).

Maximum de b : Votre forme est d'un niveau satisfaisant. Mais ne vous reposez pas sur vos lauriers pour autant. Continuez à progresser. Vous prendrez du plaisir à la pratique d'un sport. Essayez notre programme de remise en forme (page 38).

Maximum de c : Sincères félicitations ! Vous êtes en passe de devenir un pro de la forme. Votre corps est bien, voire très bien entraîné. Vous pouvez vous fixer des objectifs élevés en matière de marche rapide. Le mieux serait de suivre notre programme d'endurance sur un terrain vallonné (page 40).

De bonnes chaussures

pour éviter les faux pas

Ne lésinez pas sur les dépenses de chaussures. Une bonne paire de chaussures de marche ou de jogging offre aux pieds stabilité et amorti optimal. Courir avec des chaussures de sport classiques ne ferait pas que gâcher votre plaisir. Ce serait également dangereux.

Indispensables : les chaussures de sport

Après tout, il ne viendrait à personne l'idée de faire de l'alpinisme en escarpins, ni de grimper sur un vélo avec des palmes. À chaque sport ses chaussures qui répondent à ses exigences spécifiques. Si vous ne respectez pas cette règle, ne vous étonnez pas des conséquences, souvent douloureuses, qui en découlent. Pour la marche, qu'elle soit lente ou rapide, ce sont avant tout la stabilité et le chaussant des chaussures qui priment.

Astuce

QUELLE TENUE POUR MARCHER ?

- La marche rapide ne requiert aucune tenue particulière. Le plus important est qu'elle soit confortable et qu'elle ne vous serre pas.
- Préférez les vêtements en coton, d'entretien facile. Il vaut mieux porter plusieurs vêtements fins, que vous pourrez retirer en cours de route et nouer autour de la taille.
- S'il pleut, une veste de sport légère et hydrofuge, faite dans un matériau thermoactif et dotée d'une capuche, convient parfaitement.

La forme avant tout

Contrairement aux chaussures de ville normales, que l'on « fait » à son pied, les chaussures de sport doivent être parfaitement adaptées dès le début. C'est la forme des chaussures, qui correspond à l'anatomie des pieds, qui importe avant tout. C'est également la raison pour laquelle le même modèle ne conviendra pas à tout le monde. Les femmes doivent acheter des chaussures « spécial femmes ». Dans tous les cas, il est préférable de faire appel aux conseils d'un spécialiste au moment de l'achat. Essayez au moins deux paires de chaussures de plusieurs fabricants pour sentir la différence.

Liberté pour les pieds

Il faut laisser aux orteils un espace minimum d'un centimètre dans la chaussure, car ils s'étirent vers l'avant pendant la marche. Les pieds ont en outre tendance à gonfler. Si la pointe des pieds bute sur le bout de la chaussure, les orteils se contractent, ce qui entraîne la formation d'ampoules et d'ecchymoses sous les ongles. Il faut au moins qu'ils transpirent dans des chaussures dont l'empeigne est en nylon, matériau thermoactif et stable, qui les rend légères et perméables à l'air. Le cuir étant très résistant, tout en offrant élasticité et soutien, de nombreuses chaussures associent plusieurs matériaux. Pour une plus grande sécurité, le bout et le contrefort doivent aussi être renforcés.

Comme sur un nuage

Un système de semelles perfectionné, composé de tubes en plastique ou d'une semelle intérieure de forme concave, doit conférer un amorti idéal. Les coussins d'air aux talons permettent quasiment de « flotter » sur le sol. Mais ce qui importe surtout, c'est que la semelle reste suffisamment souple pour que le pied puisse se plier sans difficulté au niveau de la voûte plantaire. Il suffit de tordre la chaussure pour en vérifier l'élasticité.

Des chaussures adaptées à la marche rapide

Pour les « marcheurs normaux », une bonne paire de chaussures de running fait amplement l'affaire. Mais si vous voulez parcourir de très longues distances, il vaut mieux vous procurer des chaussures « spécial marche », dont le talon est légèrement incliné pour amortir les chocs. Un relèvement de la semelle au niveau de la voûte plantaire aide le pied à prendre son impulsion.

Un pas de plus vers la marche rapide – avec les bonnes chaussures.

Écoutez votre cœur !

Le pouls idéal

Au repos, un cœur sain pompe normalement jusqu'à 7 litres de sang à travers les veines, au rythme de 60 à 80 battements par minute. Quiconque pratique un sport sent son cœur battre plus vite. Mais la circulation et les poumons sont, eux aussi, plus fortement sollicités. L'accroissement de la fréquence cardiaque indique que les muscles doivent beaucoup travailler et ont besoin pour cela d'une plus grande quantité d'oxygène. Le pouls est pour ainsi dire un instrument de mesure de l'intensité de l'effort en cours.

De la modération avant tout

Selon l'intensité de l'effort physique, la fréquence du pouls peut dépasser 180 battements par minute au cours de la marche. Cela n'est pas souhaitable. Vous vous épuisez, puis entrez dans une phase de baisse d'énergie, qui vous fatigue et affaiblit votre capacité de concentration.

Faites confiance à votre corps

Indice infaillible pour savoir si vous marchez trop vite : votre souffle devient court et vous éprouvez des difficultés à parler.
Pour effectuer un travail ciblé et brûler plus rapidement les graisses, vous devez impérativement trouver le bon rythme. L'intensité d'effort idéale se situe entre la sollicitation insuffisante et le surentraîne-ment. Progressivement, vous apprendrez à doser l'effort. Au début, il est préférable de ne pas prendre de risque en contrôlant votre pouls pendant l'exercice.

Des progrès constants

Un entraînement régulier a également des conséquences sur le pouls : même en cas d'accélération de l'allure, sa fréquence ne varie pas. Un signe d'amélioration de la condition physique qui ne trompe pas.

---

info

LA FORMULE DU SUCCÈS

Les médecins du sport ont établi une formule qui permet de calculer la fréquence cardiaque d'effort optimale. Cette règle s'applique aux hommes comme aux femmes.

● 220 battements moins votre âge = fréquence cardiaque maximale.

● En retirant un tiers de cette valeur, vous obtenez le nombre de battements par minute (60 % à 70 %), correspondant à la zone de fréquence optimale pour la marche rapide. On parle aussi de zone « aérobie » (page 6).

Exemple : pour une personne de 30 ans, la fréquence cardiaque maximale s'élève à 220 − 30 = 190. La fréquence optimale d'effort correspond à 60 %-70 % de cette valeur, soit de 115 à 135 battements par minute.

Méthodes de mesure
Avec la main

➤ La méthode la plus simple consiste à prendre le pouls au poignet, comme le font les médecins. Posez l'index et l'annulaire de la main droite sur l'artère située à l'intérieur du poignet gauche, juste sous la naissance du pouce. En exerçant une légère pression avec les doigts à cet endroit, vous pouvez sentir votre pouls. Pour le mesurer, vous avez besoin d'une montre avec trotteuse. Une fois que vous avez trouvé votre pouls, comptez le nombre de battements pendant 30 secondes. Multipliez le résultat par 2 pour connaître votre fréquence cardiaque actuelle.

Arrêtez-vous et vérifiez

Pendant les premières semaines de pratique de la marche rapide, nous vous conseillons de prendre votre pouls de temps en temps pour en suivre l'évolution. Pour le prendre manuellement, vous devez vous arrêter. Il est en effet pratiquement impossible de sentir le pouls et de compter les battements en marchant. Si la valeur obtenue est trop élevée, attendez quelques instants que le pouls soit revenu à la normale. En cas de valeur trop faible, vous pouvez accélérer le rythme.

Avec une montre

● Pour une mesure plus rapide et plus fiable de la fréquence cardiaque en cours d'effort, vous pouvez utiliser une montre cardio-fréquencemètre. Les débutants se procureront un modèle standard. Il suffit de poser le bout de l'index sur le capteur de la montre pour que la fréquence du pouls soit calculée en 10 secondes.

● Pour un plus grand confort, vous pouvez aussi choisir un cardio-fréquencemètre, composé d'une montre et d'une sangle de poitrine. Il a la précision d'un électrocardiogramme. La sangle, équipée d'un émetteur intégré, est nouée autour de la cage thoracique. Elle enregistre le battement cardiaque et le transmet à la montre placée sur le poignet, qui affiche le pouls en cours. Sur certains modèles, il est possible de définir des valeurs maximales, au-delà desquelles retentit un signal pour indiquer une allure trop vive ou trop lente.

● Encore plus sophistiqués : les appareils de mesure équipés d'un ordinateur miniature. Selon la condition physique et la forme du jour, ils établissent le pouls de référence et le contrôlent pendant l'exercice.

Inspirez
profondément

Nous pouvons survivre plusieurs semaines sans manger et quelques jours sans boire, mais sans oxygène, les cellules de notre cerveau meurent en quelques minutes seulement. Pourtant, nous ne prêtons guère attention à notre respiration. Nous respirons sans même y penser, mais souvent pas assez profondément. C'est la raison pour laquelle nous perdons chaque jour beaucoup d'énergie sous l'emprise du stress et de la tension. En effet, c'est en appliquant la technique de respiration adéquate que l'on stimule la circulation sanguine et la capacité de réflexion.

Quand la respiration va, tout va

Il en va de même pour le sport. L'effort physique accélère la respiration. L'organisme réclamant une plus grande quantité d'oxygène, on respire, sans le vouloir, plus profondément et plus rapidement. C'est ainsi que les personnes non entraînées sont plus facilement à bout de souffle.

Une respiration à quatre temps

Vous pouvez soutenir activement votre respiration en l'adaptant au rythme de vos pas.

➤ Inspirez profondément et régulièrement pendant quatre pas, puis expirez pendant les quatre pas suivants. Si vous accélérez votre allure, vous pouvez ajuster votre respiration sur trois temps.

➤ Le mieux est d'inspirer par le nez et d'expirer par la bouche. C'est logique. En effet, de cette manière, l'air est purifié, réchauffé et humidifié avant de passer dans les voies respiratoires.

En cas d'accroissement des besoins en oxygène, ceux-ci peuvent être couverts par la respiration buccale.

Si, malgré tout, vous êtes essoufflé, ralentissez votre rythme et attendez jusqu'à ce que vous ayez repris des forces.

Les points de côté

Les points de côté sont également le signe d'une carence en oxygène, par exemple dans le foie. C'est là que la graisse est transformée en sucre, puis en substances énergétiques, destinées aux muscles. Si le foie n'a pas assez d'oxygène à sa disposition, il vous le signale par la douleur. Si c'est votre diaphragme qui est en manque d'oxygène, vous pouvez aussi ressentir un point de côté.

➤ Que faire ? Arrêtez-vous, appuyez avec votre main sur la zone douloureuse jusqu'à ce que la douleur disparaisse, et respirez profondément.

➤ Vous trouverez un exercice de respiration de premiers secours à la page 25.

Trois exercices respiratoires

… pour vous détendre, et renforcer vos performances et votre sensibilité.

« Je sais respirer », me direz-vous. Pourtant, avez-vous déjà essayé de suivre votre respiration, de savoir comment elle se répand dans votre corps pour finalement vous remplir les poumons ?

Respiration abdominale consciente : avec cet exercice, vous prenez non seulement conscience de votre respiration, mais vous pouvez aussi l'approfondir de manière ciblée.

La respiration abdominale consciente

1. Agenouillez-vous sur le sol. Assis sur les talons, mettez-vous en position de l'œuf : allongez le buste sur les cuisses et posez le front sur le sol. Placez vos mains sur le dos, au niveau des lombaires.

2. Sentez votre diaphragme se dilater en inspirant profondément, puis en expirant lentement, sans exercer de pression.

De cette manière, vous oxygénez des parties de vos poumons que vous utilisez peu en temps normal.

Exercice de respiration nasale

Voici une technique qui détend et rafraîchit à la fois. Les yogis indiens appliquent la respiration alternée pour apaiser leur esprit.

1. Fermez la narine gauche avec un doigt et inspirez par la narine droite.

2. Fermez ensuite la narine droite et expirez par la narine gauche.

3. Inspirez à présent par la narine gauche et expirez par la narine droite.

➤ Alternez les cycles pendant deux minutes. Vous ressentez alors l'effet de relaxation.

Sentir la profondeur de la respiration

Souvent, nous ne nous rendons pas compte quand nous respirons trop vite, de manière irrégulière ou pas assez profondément. Cet exercice contribue à développer votre sensibilité :

1. Allongé sur le dos, posez les jambes sur une chaise pour soulager les lombaires. Empilez trois gros livres sur votre ventre.

2. Tout en inspirant et expirant profondément et lentement, fermez-les yeux et concentrez-vous sur le poids.

3. Enlevez les livres un à un et sentez la différence dans votre respiration.

Accrochez-
VOUS

Vous avez enfin réussi à décoller de votre canapé. Mais comment vous accrocher ? Si, pour vous, enfiler vos chaussures de sport est une contrainte, vous perdrez vite le plaisir du sport et finirez par abandonner.

Maître-mot : motivation

Aussi ne vous lancez-vous dans la marche rapide que si vous en avez envie et que votre corps y est disposé. Ce n'est qu'à cette condition qu'il pourra donner toute son efficacité.

Rossignol ou alouette ?

Si vous êtes du genre grincheux au réveil et que vous vous forcez à faire votre tour aux premières heures du jour, vous ne prendrez jamais de plaisir à la marche. Cela dépend avant tout de phénomènes chronobiologiques. Outre les phases de performance qui s'appliquent à tous, chaque individu possède ses propres cycles de hausse et de baisse d'énergie.

Tout le monde n'est pas capable d'enfiler ses chaussures de sport au saut du lit et de se lancer plein d'entrain dans une séance de marche. Mais si vous êtes matinal, profitez de ce moment de la journée.

● Les personnes matinales se réveillent spontanément, avant même que le réveil ne sonne, et se lèvent sans ressentir la moindre fatigue. À elles le sport de bon matin. Il est conseillé à ces « alouettes » d'intégrer l'exercice à cette phase active, car leur énergie faiblit dès le début de l'après-midi.

● Les personnes dites « du soir » ont du mal à quitter leur lit le matin. Leur organisme n'atteint leur pleine forme qu'au cours de la deuxième moitié de la journée. Pour ces « rossignols », la fin de l'après-midi ou la soirée est donc le meilleur moment pour pratiquer une activité physique.

● Quelle que soit votre catégorie, essayez, dans la mesure du possible, de vous entraîner toujours à la même heure. Votre corps pourra ainsi plus facilement s'adapter et être plus efficace.

Un programme ferme et définitif

Faites de la marche rapide une habitude solide, à laquelle vous ne voulez pas renoncer. Vous serez aidé en cela par l'accroissement de la sécrétion d'endorphines observé au cours de la marche. Ces substances, proches de l'opium, provoquent un sentiment de bonheur, dont vous ne pourrez bientôt plus vous passer. Même les personnes non entraînées atteignent étonnamment vite cet état euphorique. Par ailleurs, une certaine régularité dans la pratique ne vous aidera pas seulement à tenir le coup : c'est aussi la condition indispensable à votre succès. Notez dans votre agenda trois à quatre séances de marche rapide par semaine.

Si vous préférez ne pas marcher seul, faites-vous accompagner par un ami.

Varier les plaisirs

Vous vous entraînerez plus facilement si vous ne faites pas tous les jours le même tour. Laissez le train-train quotidien derrière vous et offrez du changement à vos yeux ! Essayez de trouver un nouvel itinéraire intéressant au moins une fois par semaine. Vous pouvez aussi effectuer les parcours habituels dans un autre sens.

Ciel couvert ?

Si, de toute façon, l'envie vous manque et qu'un jour pluvieux s'annonce, vous aurez du mal à vous mettre en train. Forcez votre nature ! Une tenue adaptée vous aidera à franchir la porte.

Un sport anti-stress

La marche est le sport d'endurance idéal pour lutter contre le stress quotidien. Sur le plan biochimique, l'accroissement de la production d'endorphines et la sécrétion d'hormones anti-stress contribuent à l'équilibre et à la stabilité. La concentration sur la respiration et les bruits de la nature créent une détente presque méditative.

Une grossière erreur serait donc de placer la pratique du sport dans un contexte de performance. Quand vous marchez, ne pensez pas aux kilos que vous voulez perdre au plus vite, ni à un quelconque objectif de temps. Il vaut mieux se dire : « Je marche parce que j'aime ça et que je me sens beaucoup mieux après ».

Astuce

RIEN QUE DE BONNES EXCUSES

● *« Je n'ai pas le temps. »* Offrez-vous des moments de liberté ! Marcher en plein air constitue le « réservoir » idéal de bonne humeur et d'énergie renouvelée.

● *« La marche, c'est ennuyeux. »* C'est faux. Il ne tient qu'à vous de varier les plaisirs, par exemple en choisissant des itinéraires attrayants ou en écoutant votre musique préférée sur votre baladeur

● *« Je suis trop gros et je m'effondre au bout de 5 minutes. »* Tous les débutants se sentent mal à l'aise. Mais la marche rapide vous permet justement de contrôler votre effort. Vous n'avez qu'à commencer doucement.

● *« Je n'aime pas m'entraîner seul. »* Ce n'est pas une obligation. Trouvez des partenaires de même niveau. Vous verrez que les kilomètres filent plus vite quand ils sont agrémentés d'une discussion agréable.

Par **monts** et par **vaux**

Marcher partout et tout le temps

C'est l'avantage de la marche. Elle n'est assujettie ni au temps, ni au lieu. Si vous voyagez beaucoup, pensez à toujours emporter avec vous vos chaussures de sport, votre veste et votre survêtement.

Vous trouverez partout des parcours adaptés. Certains hôtels mettent même à disposition de leurs clients les plans des itinéraires de randonnée environnants. Vous pouvez également vous adresser à la réception. Il arrive même qu'on puisse vous proposer un entraîneur personnel pour vous accompagner.

Des itinéraires de marche sur mesure

Recherchez avant tout un terrain d'entraînement correspondant à votre niveau. Chaque parcours possède en effet ses propres exigences. Plus le niveau de difficulté est

— Astuce —

LE PLAISIR EN GROUPE

Marcher en groupe stimule non seulement la condition physique, mais aussi la communication. Une astuce infaillible pour contrôler votre pouls : tant que vous avez assez de souffle pour discuter, cela signifie que votre vitesse est correcte.

● Pour que la marche en groupe se déroule bien, il faut que le niveau de forme comme la motivation soient relativement homogènes. Tout le monde ne montre pas la même résistance à l'effort et ne poursuit pas les mêmes objectifs. Parlez-en avant.

élevé, plus l'entraînement sera fatigant. La vitesse n'est pas le seul facteur déterminant. Si vous marchez dans un paysage vallonné à la même allure que sur un chemin plat, votre organisme sera plus sollicité, ce qui se manifestera par une augmentation de votre fréquence cardiaque.

Dans tous les cas, il n'y a rien de plus beau et de plus décon-

tractant que la pleine nature, qui associe bon air et calme. Le gazouillis des oiseaux et le bruissement des feuilles vous donneront plus facilement de l'entrain que le tapis roulant d'une salle de sport.

Marcher dans les parcs

➤ Les chemins plats sont idéaux pour les débutants. C'est là que vous vous accoutumerez le mieux aux techniques de marche et de respiration et que vous adopterez l'allure adéquate. Les sentiers aménagés ou les chemins forestiers souples conviennent parfaitement. Les voies empierrées ou sablonneuses sont moins adaptées, car elles perturbent le rythme et la vitesse de la marche. Les routes bitumées sont certes tentantes, car elles permettent d'avancer rapidement, mais à la longue, même avec des chaussures offrant un bon amorti, la dureté du sol met à rude épreuve la colonne vertébrale, les ligaments et les articulations.

➤ Les marcheurs expérimentés peuvent s'entraîner sur terrain plat en augmentant l'allure et la durée des parcours.

Monter, descendre

➤ L'entraînement sur terrain vallonné ne concerne que les personnes expérimentées qui veulent apporter un peu de changement à leur routine. Monter une côte au pas de la marche rapide en gardant la même vitesse représente un défi tout particulier. Ne le relevez que si vous en avez réellement envie, mais pas tous les jours. Les personnes qui pratiquent tout le temps ce type de parcours exigent en effet beaucoup trop des muscles de leurs jambes. C'est notamment au plus fort de la pente, au moment de la descente, que les genoux reçoivent toute la pression du corps. Les ménisques et les ligaments croisés sont alors sollicités de manière excessive.

Aventure tout terrain

➤ C'est ici que le marcheur d'endurance trouve sa véritable aire de jeu. Pratiquée en dehors des sentiers battus, la marche rapide devient une aventure. La plupart des forêts offrent de telles possibilités. Cherchez des pistes battues et

Si vous n'habitez pas à proximité d'un parc ou d'une forêt, offrez-vous le plaisir de marcher dans la nature au moins le week-end.

des passages forestiers inusités, où les branches et les racines croisent votre chemin. Sur ces itinéraires peu fréquentés, il est très important de garder les yeux au sol. Pensez également que marcher sur ce type de chemins peut prendre presque deux fois plus de temps que sur terrain plat. Faites attention à votre rythme respiratoire.

Marcher en salle

Quand le temps n'est pas de la partie, vous pouvez également effectuer votre séance en salle de sport ou chez vous, sur un tapis roulant. Cela est presque aussi efficace que de marcher en plein air. La technique de marche et la fréquence cardiaque sont identiques.

➤ Regardez toujours vers l'avant, et non le tapis. Sinon, vous risquez de trébucher.

➤ Les débutants préféreront le réglage manuel, qui permet de sélectionner la durée ou le type de parcours.

➤ Les personnes entraînées pourront alterner les programmes « intervalles » et « côtes ».

Entraînement
Pas à Pas
Commencer doucement, accélérer progressivement

*L*e sport doit
avant tout apporter
du plaisir.
Si vous avez envie
de marcher,
le reste coulera
presque de source.
La technique est
simple. C'est parti !

Marcher, c'est d'abord **dans** la tête

Les bienfaits du fitness se reflètent dans votre condition physique, mais aussi dans votre apparence et le rayonnement qui émane de vous. Nul besoin pour cela de réaliser des performances extrêmes, ni de vous entraîner jusqu'à l'épuisement. Au contraire. Un entraînement doux, sans objectif de performance, est plus efficace. L'âme et l'esprit doivent contribuer à l'effort pour créer un bien-être général.

Un entraînement réfléchi

La marche rapide est un exercice de fitness relaxant et décontractant. Vous n'avez pas besoin pour cela de méditer. Il vous suffit de suivre votre programme de marche en concentrant vos pensées. Sentez votre respiration et l'harmonie des mouvements.

De la modération !

Selon les statistiques, plus de 50 % des personnes qui commencent une activité physique abandonnent au bout de quatre à six semaines seulement et retournent frustrées dans leur canapé. Elles veulent aller trop loin, trop vite et se surmènent.

➤ Si vous n'avez pratiqué aucun sport depuis longtemps, il est important de rester mesuré au début. Il vaut mieux trois séances décontractées de 15 minutes par semaine que deux séances de 30 minutes, que vous aurez du mal à effectuer. Cela alimenterait votre frustration.

Signaux d'avertissement de l'organisme

Votre corps se souvient des traitements que vous lui infligez. Il vous dit aussi quand vous pouvez monter l'entraînement d'un cran. Dans ce cas, à effort égal, la fréquence cardiaque est plus faible. De la même manière, il vous informe quand quelque chose ne va pas. Les douleurs ressenties pendant et après l'exercice sont un signe de surentraînement. Les courbatures indiquent également que vous avez présumé de vos forces. À l'inverse, les douleurs articulaires, qui disparaissent au cours de la marche, sont de bon augure. Elles peuvent survenir en cas de manque d'exercice. Toutefois, il convient de ne pas les perdre de vue et de consulter un médecin si elles persistent.

Astuce

MARCHE RAPIDE ET GROSSESSE

La pratique d'un sport aérobie n'a pas de conséquence sur la durée de la grossesse, sur l'accouchement, ni sur l'enfant. Elle peut même raccourcir la période de repos de la mère après la naissance. Veillez à respecter les règles suivantes :

● Faire plus de pauses que d'habitude.

● Boire plus avant, pendant et après la séance de marche.

● S'entraîner avec un cardio-fréquencemètre pour vérifier que vous ne dépassez pas 60 % de votre fréquence maximale.

Technique
pour les
débutants

« Mais je sais marcher ! », me direz-vous. La technique de la marche rapide se différencie toutefois de la marche normale. Si vous l'abordez de façon relâchée et décontractée, vous serez rapidement dans le coup. Conservez votre longueur de pas habituelle. Les grands pas ont en effet tendance à faire trébucher les débutants.

La posture idéale

1. Décontracté, tenez-vous debout, le dos droit, la pointe des pieds vers l'avant. Fléchissez les genoux.

2. Rentrez bien le ventre, comme si vous vouliez tirer le nombril vers la colonne vertébrale. De cette façon, vous éviterez de trop vous cambrer. Décontractez ensuite vos abdominaux, sans modifier la position de la colonne vertébrale.

Quand vous marchez, faites attention à votre posture. Ne vous contractez pas. Veillez toujours vous à vous redresser et à abaisser les épaules.

3. Dirigez les épaules vers le sol de manière que les omoplates se rétractent légèrement.

4. Décontractez le plus possible les vertèbres cervicales, regardez l'horizon droit devant vous. Plus vous serez familiarisé avec cette position, plus vous serez relâché. Adoptez-la régulièrement au quotidien.

Le bon pas
Important : toujours poser le talon en premier

Alors qu'en temps normal, nous avons tendance à marcher le pied plat, avec l'ensemble de la semelle, la marche rapide requiert de poser d'abord le talon, puis de dérouler le pied jusqu'aux orteils.
➤ La pointe des pieds est dirigée dans le sens de la marche. Faites des petits pas !

Important pour bien marcher : posez un talon ...

... puis déroulez complètement le pied jusqu'à la pointe des orteils.

Dérouler complétement le pied

1. Posez un talon au sol.

2. Déplacez le poids du corps vers l'avant et déroulez le pied uniformément, de la voûte plantaire à la pointe des orteils.

3. Pour le pas suivant, appuyez vigoureusement sur le sol avec les orteils. Servez-vous pour cela des muscles des pieds et des jambes.

4. Après le déroulement talon-orteils, étendez légèrement l'autre jambe vers l'avant de manière à poser le talon pour le pas suivant.

Genoux fléchis

5. Dès que vous vous êtes familiarisé au « pas sur les talons », faites attention à la position de vos genoux : quand vous déroulez le pied, ils doivent être fléchis. Vous éviterez ainsi de les tendre au moment de poser le pied.

info

LA MARCHE RENFORCE LES VEINES

Les angiologues conseillent la marche en prévention contre les problèmes veineux, tels que les varices ou les varicosités.

● Lorsque vous déroulez le pied, l'effort intense effectué par les muscles des jambes active ce qu'on appelle la « pompe veineuse ». Celle-ci transporte le sang des veines de vos jambes vers votre cœur et empêche ainsi qu'il ne stagne dans les jambes et ne transforme les veines en varices.

● Chouchoutez vos pieds de temps en temps. Marchez régulièrement pieds nus : en forêt ou sur du sable ferme, au bord de la mer. Cela fait l'effet d'un massage bienfaisant.

Les bras sont de la partie

La technique des bras de la marche rapide n'a rien de compliqué. Leur mouvement se fait à l'opposé de celui des jambes. Si ce mouvement marqué vous semble trop voyant au début, vous n'êtes pas obligé de vous y soumettre. Sachez toutefois qu'il permet de travailler d'autres zones musculaires et donne de la vitesse. En cas d'allure vive, il contribue également à l'équilibre du corps.

Pour être dans le rythme : pliez les bras à 90° et balancez-les vigoureusement d'avant en arrière, dans le sens contraire au mouvement des jambes.

Mains détendues

➤ Pendant la marche, serrez légèrement le poing : repliez les doigts vers l'intérieur sans les contracter, les pouces à l'extérieur. Des poings serrés trop fortement sont le signe d'une contraction.

Balancer les bras

➤ Les débutants qui hésitent à effectuer un mouvement ample des bras peuvent simplement les balancer de manière relâchée, en les tenant légèrement pliés. Les mains oscillent d'avant en arrière à hauteur de cuisse. Le dos des mains est dirigé vers l'extérieur.

Le port idéal des bras

➤ Pour accélérer l'allure, repliez les avant-bras à 90° environ. Contractez légèrement les muscles des bras, les coudes serrés contre votre corps. Appliquez aux bras un balancement rythmé vers l'arrière, le long des hanches, puis vers l'avant, jusqu'à ce que les poings se trouvent à hauteur d'épaule.

Marcher sur place

1. Mettez-vous en position initiale. Les épaules sont au-dessus des hanches, le buste ne bouge pas pendant la marche.

2. Le pied droit avance avec le bras gauche et inversement.

3. Quand vous balancez le bras vers l'arrière, portez la main le plus loin possible. Vers l'avant, amenez-la au moins jusqu'à hauteur de poitrine.

4. Respirez au rythme du mouvement des bras. Inspirez quand c'est le bras droit qui avance, expirez quand c'est le bras gauche.

➤ Répétez l'exercice 20 fois.

Respiration profonde

Au cours de la marche, la respiration ne doit pas seulement être thoracique, mais aussi abdominale. Cette respiration profonde est nécessaire pour exploiter à plein le volume des poumons et ainsi absorber le plus possible d'oxygène, afin que tous les muscles en reçoivent en quantité suffisante. Quand vous « respirez par le ventre », le diaphragme se contracte vers le

Exercice respiratoire : lever les mains en inspirant ...

... puis les baisser lentement en expirant.

Marcher sur place : un exercice préalable pour vous entraîner à coordonner les bras et les jambes.

bas au moment de l'inspiration et se décontracte lors de l'expiration. Ce muscle indispensable à la respiration est situé entre la cage thoracique et l'abdomen.

Exercice de respiration abdominale

Voici comment parvenir automatiquement à la respiration abdominale profonde :

1. Tenez-vous droit, les pieds écartés de la largeur des épaules. Placez les mains devant vos hanches, l'une en face de l'autre, la paume tournée vers le haut.

2. En inspirant, amenez les deux mains en même temps au niveau de la poitrine, sans soulever les épaules.

3. En expirant lentement et profondément, abaissez les bras, la paume des mains à présent dirigée vers le sol.

➤ Inspirez et expirez de cette manière quatre fois.

Cet exercice est également utile pour vous défaire d'un point de côté (page 14).

Technique

pour les

marcheurs confirmés

En appliquant ces techniques de marche spéciales, vous pourrez améliorer votre style et élargir l'éventail de vos efforts. Vous avancerez ainsi plus rapidement et avec une plus grande force musculaire.

Plus vite !

➤ Pour améliorer encore plus votre forme physique :

Marcher en croisant les bras vous donne encore plus de rythme.

Bras en croix

Un balancement vigoureux des bras permet d'accélérer l'allure.

➤ Balancez vos bras en diagonale au niveau de la poitrine, en les amenant vers l'épaule opposée, puis vers l'arrière. Les sous-bras restent pliés à 90°. Ce mouvement fait travailler parallèlement les pectoraux et les muscles des épaules.

Déhanchement

Vous marcherez également plus vite avec cette méthode.

➤ Lorsque vous portez la jambe vers l'avant, faites parti-

Le déhanchement accélère l'allure et allonge vos pas.

ciper la hanche. Celle-ci exécute pour ainsi dire le mouvement. Vous pourrez ainsi augmenter la longueur de vos pas d'environ 20 cm.

Plus vous basculez vos hanches vers l'intérieur, plus vous travaillez efficacement les fessiers et les abdominaux.

Exercices de marche pour une plus grande puissance musculaire

Marcher à reculons

Cette technique est utilisée pour la marche sur place et dans

La marche à reculons fait travailler d'autres muscles.

Montée d'escalier : veillez à bien pousser les talons vers le bas.

les côtes. Excellent exercice d'échauffement !

➤ Pour marcher à reculons, déroulez le pied dans le sens contraire : commencez par poser les orteils, puis déroulez le pied jusqu'au talon. Au lieu de lancer la jambe vers l'avant, amenez-la vers l'arrière. Vous renforcez ainsi vos ischio-jambiers et les muscles entourant le tibia.

Monter un escalier

Exercice idéal pour améliorer l'équilibre, car, en montant les marches, il faut soulever son propre poids sur une seule jambe. La même technique est d'ailleurs employée en montagne. La montée d'escalier vous permet donc également de vous exercer à la marche sur côte ou à la marche nordique (page 32).

➤ Posez le pied au niveau de la voûte plantaire, puis poussez le talon vers le bas et tendez la jambe porteuse. Engagez le talon le plus possible sur la marche, car seuls les muscles du mollet s'étirent. Cette technique fait travailler les abdominaux, les fessiers et la région lombaire.

La marche zen

Pourquoi ne se préoccuper que des muscles ? Ne négligez pas votre esprit ! La marche rapide peut revêtir un caractère hautement méditatif.

La marche zen est une activité de « non pensée ». Cela signifie ne réfléchir à rien pendant la marche. Ne pas retenir les pensées, mais les laisser défiler tels des nuages. Vider la conscience délibérément pour faire de la place à l'inconscient. Au début, cela est souvent difficile. Voici un exercice de méditation simple, qui vous aidera à libérer votre esprit :

➤ Pendant que vous marchez, comptez chaque expiration, toujours de 1 à 10.

➤ Vous pouvez également vous concentrer uniquement sur les mouvements de votre corps : comment le poids des talons s'imprime sur le sol ; sentez la souplesse des orteils quand vous déroulez le pied ou la sérénité qui accompagne le rythme du balancement des bras.

Les erreurs les plus
fréquentes

... et comment les éviter

Si vous ressentez des douleurs musculaires après l'exercice, ou si vous êtes à bout de souffle, cela n'indique absolument pas que vous avez travaillé efficacement. Il s'agit au contraire de signaux d'avertissement que vous envoie votre corps pour pointer des erreurs d'entraînement.

Essoufflement

Si vous ne parvenez à parler que de manière hachée parce que vous êtes hors d'haleine, c'est que vous faites trop d'efforts.

➤ Rétrogradez à la vitesse inférieure et vérifiez votre pouls (page 13). Ainsi marcherez-vous pour votre santé, et non pas contre elle !

Si vous avez des points de côté, cela veut dire que vous avez respiré trop nerveusement ou trop superficiellement. Votre organisme n'a donc pas reçu suffisamment d'oxygène.

➤ Faites une pause et effectuez l'exercice respiratoire de la page 25.

Courbatures

On sait aujourd'hui que les courbatures n'ont rien à voir avec la présence d'acide lactique dans les muscles. Les douleurs sont provoquées par des microdéchirures des fibres musculaires. Il en résulte la formation de minuscules œdèmes, à travers lesquels les substances responsables de la douleur pénètrent dans le tissu musculaire. Le muscle se contracte. Ce phénomène est la conséquence d'un surentraînement. Les courbatures disparaissent au bout de 2 jours.

➤ Prenez un bain chaud ou faites une séance de sauna. Effectuez également des étirements doux (page 30). Et bien sûr, réduisez l'intensité de l'effort.

Crampes aux mollets

En cas de sollicitation excessive ou de manque d'eau important, les muscles se contractent brusquement.

➤ Si vous êtes sujet aux crampes : à titre préventif, buvez beaucoup et prenez des comprimés de magnésium.

En cas de survenue des crampes : nombreux étirements et massages de relaxation.

Ampoules aux pieds

Si des ampoules apparaissent, c'est que vous portez de mauvaises chaussures (page 10) ou des chaussettes dont les coutures génèrent des frottements.

➤ Les chaussettes « spécial marche », dont les coutures sont situées à l'extérieur, constituent une protection efficace.

➤ Vous pouvez percer les ampoules avec précaution au moyen d'une aiguille stérilisée, afin d'en laisser échapper le liquide. Appliquez ensuite un pansement pour ampoules.

➤ Vous pouvez également utiliser ce type de pansements à titre préventif, avant une longue séance de marche, si vous connaissez les points sensibles de vos pieds.

Aucun problème ...

Quand l'estomac gargouille

Il est vrai qu'il est déconseillé de faire de l'exercice le ventre plein. Le dernier repas doit être

En été, les brassières avec soutien-gorge intégré sont élégantes et légères. Important : n'oubliez pas votre crème solaire !

pris au moins 3 heures avant. Toutefois, n'entreprenez pas de marche la faim au ventre.

➤ Avant la séance, mangez une barre de muesli ou un fruit.

Quand le nez coule au printemps

C'est probablement le rhume des foins. Faites un test pour savoir à quels pollens vous êtes allergique. Dans la plupart des cas, l'allergie ne concerne que quelques plantes.

➤ À l'époque de la floraison, évitez les parcs et les forêts quand il fait beau. Vous pouvez éventuellement marcher en intérieur, sur tapis roulant.

Quand ça démange entre les orteils

Le domaine de prédilection des mycoses du pied. Elles apprécient particulièrement le climat chaud et humide qui règne dans les chaussures de sport. Ces casse-pieds très contagieux s'attrapent partout où l'on trouve des pieds nus : dans les vestiaires des salles de sport, à la piscine, au sauna. Il est très difficile de s'en débarrasser.

➤ Meilleure protection : toujours bien sécher les pieds, notamment entre les orteils.

➤ Pour le sport, toujours porter des chaussettes propres et sèches, non synthétiques. En changer tous les jours.

➤ Vous pouvez vous procurer en pharmacie, sans ordonnance, un produit antifongique pour les pieds et les chaussures.

Quand la poitrine est douloureuse

➤ Ne jamais marcher sans soutien-gorge. Quel que soit leur tour de poitrine, les femmes doivent toujours porter un soutien-gorge de sport assurant un bon maintien. Il protège la poitrine et évite que les tissus ne se distendent. Les brassières avec renfort intégré sont très pratiques.

Quand le soleil brûle

Il est évident qu'il ne faut pas marcher sans crème protectrice en été. Mais la pratique d'une activité physique provoque la transpiration. Pour éviter que la crème solaire ne soit éliminée en même temps que la sueur, utilisez les produits spécialement conçus pour les sportifs. Non gras, ils sont résistants à la transpiration et à l'eau.

➤ Appliquer 30 minutes avant la séance, temps nécessaire pour que la protection solaire soit efficace.

Après l'effort, les
étirements

Contrairement au jogging, la marche rapide ne requiert pas d'échauffement particulier, puisque la mise en route y est progressive. Les muscles disposent donc du temps nécessaire pour s'échauffer.

L'étirement après l'exercice est, en revanche, très important. Les muscles ont beaucoup travaillé. Les étirements leur permettent de se décontracter plus rapidement et de retrouver leur taille d'origine.

Retour au calme

Le retour au calme commence 5 minutes avant la fin de la séance.

➤ Réduisez progressivement la vitesse et concentrez-vous pour parvenir à une respiration profonde.

Comment s'étirer ?

➤ Prenez le temps d'effectuer les exercices. Il est impératif de procéder lentement.

➤ Maintenez chaque position d'étirement pendant 10 à 20 secondes.

Indispensables : les étirements après la marche. Commencez par les mollets.

➤ Répétez chaque exercice 2 à 3 fois.

Séances d'étirements en cinq temps

Les mollets

1. Appuyez les deux mains contre un arbre ou un mur, une jambe pliée vers l'avant, l'autre tendue vers l'arrière.

2. Les bras tendus, poussez avec force contre l'arbre ou le mur, tout en gardant le talon arrière au sol.

C'est maintenant au tour des quadriceps.

➤ Changez de jambe au bout de 10 secondes.

Les quadriceps

1. Tenez-vous droit, les jambes serrées. Pliez la jambe droite vers l'arrière.

2. Avec la main droite, saisissez la pointe du pied et amenez le talon au niveau des fesses.

➤ Maintenez la position pendant 10 secondes, puis changez de jambe.

Si vous avez du mal à garder l'équilibre, prenez appui sur un support avec votre main libre.

Servez-vous d'un banc pour étirer les ischio-jambiers.

Étirez l'aine et les adducteurs.

Enfin, retour au banc pour étirer les fessiers.

Les ischio-jambiers

1. Posez un talon sur un banc, jambe et pointe du pied tendues. Appuyez les deux mains sur la cuisse. Inclinez légèrement le buste vers l'avant.

2. Fléchissez la jambe porteuse et abaissez lentement le bassin. Relevez-vous lentement.

➤ Effectuez au moins 5 séries sans pause.

Les adducteurs

1. Mettez-vous en position de fente. La jambe arrière est tendue, la jambe avant légèrement pliée. Gardez le buste droit, tout en posant les mains sur la cuisse de la jambe pliée.

2. Déplacez lentement le buste vers l'arrière, jusqu'à ce que vous ressentiez l'étirement au niveau de l'aine et à l'intérieur la cuisse.

➤ Revenez dans la position initiale et changez de jambe.

Le buste doit rester tendu pendant toute la durée de l'exercice.

Les fessiers

1. Placez le dos contre un banc, les genoux pliés. Prenez appui avec les mains derrière vous.

2. Posez le pied droit sur le genou gauche et descendez lentement les fesses.

➤ Maintenez la position pendant 15 à 20 secondes, puis changez de jambe.

Tendances

Infos pour les fous de marche

Vous êtes pris par la fièvre de la marche rapide ? Aux États-Unis, la patrie des marcheurs, elle se propage déjà. De nouvelles variantes apparaissent chaque jour. Peut-être avez-vous envie d'essayer l'une d'elles pour offrir un peu de changement à votre quotidien sportif ? La plupart ne sont toutefois pas adaptées à la pratique d'un sport d'endurance. Elles requièrent en outre une certaine expérience en marche rapide.

Le weight walking

Également appelé wogging.

➤ On marche avec des petits haltères ou des lests aux poignets, ce qui permet de renforcer la sollicitation des muscles du buste, des épaules et des bras et de les travailler. Pour ne pas surmener les muscles et les articulations, les poids ne doivent pas excéder 1 kg.

Le weight walking : marchez avec des lests ou des haltères.

Notre avis : le weight walking peut entraîner des douleurs articulaires. Ne marchez jamais avec des lests aux chevilles, car ce serait plus néfaste qu'utile. Cela nuirait à la mobilité des chevilles et donc à la technique de marche.

La marche nordique

Pratiquée par les sportifs de haut niveau. Ils la qualifient d'entraînement en altitude.

➤ Pour la pratiquer, vous avez besoin d'un terrain vallonné et de bâtons télescopiques. À titre d'essai, des bâtons de ski suffiront.

La marche nordique avec des bâtons sur terrain vallonné.

Seule importe la longueur des bâtons. Voici comment la calculer : votre taille en centimètres multipliée par 0,7. Il s'agit ensuite de monter et descendre, toujours avec les bâtons. La technique de pas en côte est la même que pour la montée d'escalier (page 27).

Notre avis : Un bon sport d'endurance pour les marcheurs confirmés qui fait travailler l'ensemble du corps. Très important : contrôlez régulièrement votre pouls.

Le wiggle walk : déhanchement et participation active des bras.

Le wiggle walk

Avec des déhanchements à la Elvis Presley, on s'attaque à la taille. Il faut toutefois avoir révisé ses leçons à la maison, des cours théoriques en quelque sorte, avant de se risquer dans la rue.

➤ Les hanches exécutent un mouvement opposé à celui du buste. Les bras dirigent le basculement des hanches. Ils se balancent en se croisant devant le torse (voir aussi page 26 pour le mouvement des bras).

Notre avis : À la longue, ce sport sollicite les hanches de façon excessive.

L'iso walking

Renforce le travail des abdominaux et des fessiers, grâce à des exercices isométriques exécutés à intervalles réguliers au cours de la marche. Principe :

➤ Vous inspirez pendant 3 pas en contractant les fessiers. Expirez pendant les 3 pas suivants en relâchant les muscles. Passez aux abdominaux la fois suivante.

Notre avis : Il est assez difficile de se concentrer sur l'isométrie et la respiration tout en conservant une bonne technique de marche.

---

info

ISOMÉTRIE – TRAVAIL STATIQUE DES MUSCLES

L'entraînement isométrique consiste à contracter les muscles sans bouger. Les fibres musculaires travaillent de façon statique, c'est-à-dire que leur longueur n'est pas modifiée au cours de l'exercice ; elle n'est pas réduite, comme quand vous pliez un bras, par exemple.

Après un tel effort statique, il est important d'effectuer des étirements. Sinon, les muscles grossiraient sous l'effet des exercices isométriques, mais sans se développer complètement.

De toute façon, l'isométrie ne doit être envisagée que comme activité complémentaire. Elle ne constitue pas à elle seule un travail approprié des muscles. Les fibres musculaires doivent également « apprendre » certains enchaînements spécifiques de mouvements. Pour cela, elles ont besoin d'un entraînement dynamique, comme dans le sport de force avec des poids ou la marche rapide.

Quel est votre objectif ?

Programme de marche rapide sur mesure

Si vous vous êtes soumis au check-up de la page 8, vous savez déjà lequel de ces programmes de marche vous convient. Les programmes brûleurs de graisses et anti-stress sont accessibles à tous, quel que soit le niveau de forme.

Je veux ...

... m'initier à la marche rapide

Jusqu'à aujourd'hui, vous vous en teniez à la règle édictée par Churchill : « no sports ». Par crainte de la fatigue supposée, vous trouviez toujours de bonnes excuses. Et puis, vous aviez toujours quelque chose à faire. Pourtant, vous savez qu'un peu d'exercice ne vous ferait pas de mal. Mais pas dans la souffrance. Bienvenue chez les marcheurs ! Vous verrez que c'est moins fatiguant que vous ne le croyez et que vous y prendrez plaisir, surtout quand vous remarquerez des changements positifs rapides dans votre corps.

➤ Vous trouverez votre programme spécial débutants à la page 36.

... retrouver la forme après une longue période d'inactivité

En fait, vous avez toujours aimé le sport, mais plutôt de façon saisonnière : tennis en été, ski en hiver. Et la course, sporadiquement. Il en résulte un niveau de forme assez moyen. Mais maintenant, la plante des pieds vous démange sacrément. Vous voulez retrouver une véritable forme et vous êtes tout ce qu'il y a de plus motivé pour vous accrocher. Prenez un bon départ :

➤ Programme de remise en forme, page 38.

... améliorer ma condition physique

Vous en avez assez de vous essouffler plus rapidement que par le passé quand vous montez des escaliers. Au fond, vous êtes du genre sportif, mais vous manquez simplement de condition physique.

La marche rapide est exactement la solution qu'il vous faut : un sport d'endurance idéal, qui améliorera vos peformances en douceur. Essayez-la !

➤ L'entraînement d'endurance commence à la page 40.

... me débarrasser de mes bourrelets

Vous avez depuis longtemps rayé le mot « régime » de votre vocabulaire. Ils ne servent de toute façon à rien. Et quand bien même, les kilos sont vite de retour. La pratique régulière de la marche rapide vaut mieux que tous les régimes pour retrouver la ligne et la garder. Sans souffrir. Malgré sa faible intensité, elle permet de brûler sensiblement les réserves de graisse. Voyez comment faire fondre vos bourrelets :

➤ Programme minceur, page 42.

... en finir avec le stress

Le quotidien vous dévore. Un stress permanent. Ces derniers temps, vous êtes déconcentré et nerveux. Avec la marche rapide, vous échapperez au stress. Elle contribue à votre détente intérieure, qui vous rendra plus serein et heureux. Cela vaut le coup de s'investir.

➤ Programme anti-stress, page 44.

Juste
m'initier

Programme
de base
pour
les débutants

Avant de commencer, rappelons la technique de marche :

➤ Regardez devant vous, le buste droit et les genoux fléchis. Posez d'abord le talon, puis déroulez le pied jusqu'au bout. Les pas sont plus courts que dans la marche normale, mais se suivent plus rapidement. Les bras se balancent au rythme des pas.

Tout est dans
le regard

➤ Regardez toujours le chemin 3 à 4 mètres devant vous. Ainsi prenez-vous automatiquement une posture droite. De plus, cela vous permet de repérer à temps les obstacles, comme les zones accidentées du sol.

Votre programme d'entraînement pour 4 semaines

1re semaine

Terrain : chemins plats en parc ou en forêt, si possible pas de route bitumée
Durée : 15 à 20 minutes
Fréquence : au moins 3 fois par semaine
Fréquence cardiaque : 60 % de la fréquence cardiaque maximale (220 moins votre âge)

2e semaine

Terrain : chemins plats en parc ou en forêt, si possible pas de route bitumée
Durée : 20 à 25 minutes
Fréquence : au moins 3 fois par semaine
Fréquence cardiaque : 60 % de la fréquence cardiaque maximale

Restez bien détendu ! Ne vous contractez pas en marchant, même si, au début, vous avez du mal à coordonner les enchaînements de mouvements. En réfléchissant moins, vous y arriverez bientôt naturellement.

3e semaine

Terrain : chemins plats en parc ou en forêt, si possible pas de route bitumée
Durée : 25 à 30 minutes
Fréquence : 3 à 4 fois par semaine
Fréquence cardiaque : 60 % à 75 % de la fréquence cardiaque maximale

4e semaine

Terrain : chemins plats en parc ou en forêt, si possible pas de route bitumée
Durée : 30 à 35 minutes
Fréquence : 3 à 4 fois par semaine
Fréquence cardiaque : 60 % à 75 % de la fréquence cardiaque maximale

Pour la suite

Vous pouvez suivre l'entraînement de base pendant encore quelque temps ou passer directement à l'étape suivante : le programme de remise en forme (page 38).

(page 38)

Astuce

DÉTAILS IMPORTANTS

➤ Sur les courtes distances, il n'est pas indispensable de boire. Un grand verre d'eau plate avant le départ suffit.

➤ La marche rapide ne requiert pas d'échauffement particulier. L'exercice comporte un échauffement en soi, puisque vous commencez lentement et n'atteignez la phase intensive qu'après un certain temps. Sur les longs parcours, la phase d'échauffement peut durer de 5 à 10 minutes.

➤ Ne négligez pas le retour au calme ! Un arrêt brutal peut engendrer des troubles circulatoires. Selon la durée de la marche, ralentissez progressivement l'allure environ 5 minutes avant la fin de la séance et marchez jusqu'au retour au calme de votre pouls et de votre respiration.

➤ Si possible, effectuez les étirements (page 30) sur place, n'attendez pas d'être rentré à la maison.

Être vite
en forme !

Marchez comme un pro en huit semaines

Vos chaussures de marche ont longtemps été remisées au placard. Elles ont droit maintenant à un grand bol d'air.

➤ Pour que les trois phases de remise en forme soient plus faciles, entraînez-vous sur ter-rain plat pendant la première semaine. Augmentez progressivement l'effort en vous aventurant sur de petites côtes.

➤ S'il n'y a aucune côte à la ronde, vous pouvez vous rabattre sur des terrains sablonneux ou sur des chemins accidentés de campagne ou de forêt. Vous augmenterez ainsi la difficulté de la même manière.

➤ Utilisez bien vos bras pendant la marche.

Le pouls ne ment jamais !

Le nombre de battements par minute vous indique dans quelle mesure votre condition physique s'est améliorée.

➤ Avant la première séance, notez votre pouls au repos. Comparez cette valeur avec celle obtenue deux mois après : si vous vous êtes entraîné régulièrement, vous compterez jusqu'à 20 battements de moins par minute.

Votre programme d'entraînement pour 8 semaines

1re et 2e semaine

Terrain : chemins plats en parc ou en forêt, si possible pas de route bitumée
Durée : 30 à 45 minutes
Fréquence : 3 à 4 fois par semaine
Fréquence cardiaque : 60 % à 75 % de la fréquence cardiaque maximale (220 moins votre âge)

3e et 4e semaine

Terrain : faibles côtes, comme on en trouve à la campagne (pistes de ski de fond !)
Durée : 30 à 45 minutes
Fréquence : 3 à 4 fois par semaine
Fréquence cardiaque : 60 % à 75 % de la fréquence cardiaque maximale

Laissez le stress du quotidien derrière vous. Vous n'apprécierez la marche que si vous vous videz d'abord la tête, profitez de la nature et ressentez vos mouvements en toute conscience.

---

info

MARCHER BEAUCOUP, C'EST BOIRE BEAUCOUP !

La marche rapide est une activité très sudorifique. Avec la transpiration, l'organisme perd non seulement du liquide, mais aussi des sels minéraux vitaux, qui doivent être remplacés.

➤ N'attendez pas d'être assoiffé pour boire. Le corps n'envoie ce signal que quand il lui manque déjà l'équivalent d'un verre d'eau (200 ml). L'équilibre en eau est alors déjà rompu. Les premiers signes sont l'épuisement et les difficultés de concentration.

Le besoin en eau moyen est de 1,5 l par jour. Ajoutez un litre par heure de sport.

➤ Pour les longs parcours, n'oubliez donc surtout pas d'emmener une bouteille d'eau.

Les eaux minérales riches en magnésium ou les mélanges à base de jus de pomme (2/3 de jus de fruit, 1/3 d'eau minérale) conviennent parfaitement pour le sport.

5e à 8e semaine

Terrain : changer à chaque séance : une fois uniquement sur terrain plat ; la fois suivante, avec de faibles côtes
Durée : 45 à 60 minutes
Fréquence : 3 à 5 fois par semaine
Fréquence cardiaque : 60 % à 75 % de la fréquence cardiaque maximale

Pour la suite

Après deux mois, votre forme est telle que vous pouvez vous attaquer à l'objectif suivant. Que diriez-vous d'un programme destiné à accroître votre endurance (page 40) ? L'étape suivante vous fera grimper sur des côtes plus raides et des terrains vallonnés.

L'efficacité
dans la durée

Vous serez bientôt compétitif

Votre niveau de forme est assez bon. Après un mois d'entraînement régulier, vous sentirez déjà les effets positifs et pourrez vous aventurer sans difficulté dans les contrées les plus extrêmes de la marche rapide.

➤ Nous vous conseillons de marcher avec un cardio-fréquencemètre électronique pour pouvoir contrôler votre pouls rapidement et plus facilement en cours de route.

En musique, c'est mieux

➤ La musique donne des ailes, et c'est vrai aussi pour la marche. Choisissez une musique adaptée à votre allure. La pop rythmée et le rock poussent à faire des pas rapides, tandis que la musique douce favorise plutôt une marche détendue. Attention quand vous traversez les routes fréquentées avec le casque sur les oreilles !

Votre programme d'entraînement pour 12 semaines

1re à 4e semaine

Terrain : chemins plats et faibles côtes

Durée : 30 à 45 minutes

Fréquence : 3 fois par semaine

Fréquence cardiaque : 60 % à 75 % de la fréquence cardiaque maximale (220 moins votre âge)

5e à 8e semaine

Terrain : combinaison de chemins plats, faibles côtes et collines

Durée : 45 à 60 minutes

Fréquence : 3 à 4 fois par semaine

Fréquence cardiaque : 75 % de la fréquence cardiaque maximale

Pour la marche rapide pratiquée dans un but de performance, la respiration abdominale profonde au rythme des pas est indispensable ; par exemple, inspirez pendant 3 pas et expirez pendant les 3 pas suivants.

9e à 12e semaine

Terrain : outre les chemins plats et les collines, intégrez à votre entraînement des parcours en montagne de basse altitude

Durée : 60 minutes et plus

Fréquence : 4 à 6 fois par semaine

Fréquence cardiaque : 75 % à 85 % de la fréquence cardiaque maximale

Pour la suite

Votre expérience en marche rapide vous autorise à rechercher de nouveaux défis :

➤ Parcours intéressants dans d'autres régions, marche sur des plages de sable qui demandent plus de puissance, ou même participation à des compétitions de faible niveau. Vos objectifs n'ont plus de limite !

---

info

ALERTE À L'OZONE. DANGEREUX POUR LES MARCHEURS ?

La plupart des messages d'alerte entendus à la radio sont émis en été, par beau temps ensoleillé, quand l'envie de marcher en plein air est vive. Pourquoi l'ozone se forme-t-il justement ces jours-là ?

L'ozone est un gaz irritant issu de la combinaison des gaz d'échappement des automobiles et d'un rayonnement solaire intense, qui s'accumule à la surface du sol. C'est la raison pour laquelle les quantités d'ozone atteignent leur valeur maximale à midi, quand le soleil est à son apogée. En cas d'exposition prolongée à l'ozone, les personnes sensibles peuvent souffrir de difficultés respiratoires.

➤ En cas d'alerte à l'ozone, il est conseillé aux marcheurs de s'entraîner tôt le matin ou le soir, quand les quantités d'ozone sont plus faibles. Si vous voulez absolument courir à midi, évitez au moins les routes très fréquentées.

Pour connaître les valeurs d'ozone, contactez les services chargés de l'environnement et de la santé publique.

Un corps
mince,
ferme
et
en forme

Le programme minceur

Ce programme brûleur de graisses est accessible à tous ceux qui aiment marcher, débutants ou expérimentés. L'objectif principal est de brûler les graisses, même si la forme n'est pas en reste.

➤ La marche régulière à fréquence cardiaque réduite relance le métabolisme. Les muscles doivent, eux aussi, plus travailler. La majeure partie de la graisse présente dans leurs cellules est brûlée. Plusieurs heures après l'entraînement, alors que vous vous reposez, votre métabolisme tourne encore à plein régime. L'organisme brûle plus de calories.

➤ Renforcez cet effet minceur par une alimentation adaptée.

info

BRÛLEURS DE GRAISSES – L'ALIMENTATION MINCEUR

Équilibrée, pas trop grasse, ni trop sucrée : voilà la règle d'or pour être mince. Certaines substances présentes dans notre alimentation contribuent en outre à réduire les graisses.

La vitamine C, que l'on trouve dans les kiwis ou les agrumes, stimule la production de la thyroxine, hormone thyroïdienne, qui joue le rôle de « moteur » de l'amaigrissement.

Le magnésium est un « élixir » physique, dont les muscles et le cœur ont besoin. Un müesli au blé complet avec des noix au petit-déjeuner couvre les besoins journaliers.

L'acide linoléique contribue à la bonne santé de la muqueuse intestinale. Elle permet que les graisses soient transformées en énergie au cours de la digestion, au lieu de s'accumuler. On trouve cet acide gras non saturé dans les huiles pressées à froid, le poisson, la graine de lin. Pour l'assimiler, l'organisme a aussi besoin de vitamine E (par exemple, germes de blé, soja).

La carnitine L, présente dans les produits laitiers et la viande rouge, contribue à l'alimentation en énergie des cellules musculaires. Associée à une activité physique, elle aide à brûler les graisses.

Pas de découragement !

Au début, vous réaliserez de grands progrès. Au bout de 4 semaines seulement, vous constaterez que vos tissus se sont nettement raffermis, que la cellulite s'est réduite et que les kilos ont fondu.
Mais de temps en temps, il peut aussi y avoir des pauses. Votre organisme a besoin de « souffler ». Continuez quand même à vous entraîner, jusqu'à ce que vous ayez atteint votre objectif minceur.

Vous surmonterez votre appréhension par une pratique régulière de la marche rapide. À plusieurs, c'est encore mieux.

Votre programme d'entraînement pour 12 semaines

1re à 4e semaine

Terrain : chemins plats en parc ou en forêt, pas de route bitumée, car la dureté du revêtement est néfaste pour la colonne vertébrale
Durée : 30 à 45 minutes
Fréquence : 3 fois par semaine

Fréquence cardiaque : 60 % à 75 % de la fréquence cardiaque maximale (220 moins votre âge)

5e à 8e semaine

Terrain : chemins plats et itinéraires de marche avec faibles côtes
Durée : 45 à 60 minutes
Fréquence : 3 à 4 fois par semaine
Fréquence cardiaque : 60 % à 75 % de la fréquence cardiaque maximale

9e à 12e semaine

Terrain : alterner chemins plats et faibles côtes
Durée : 60 minutes et plus
Fréquence : 3 à 5 fois par semaine
Fréquence cardiaque : 60 % à 75 % de la fréquence cardiaque maximale

Adieu le
stress !
La marche vous change de l'intérieur

Pour les personnes stressées qui ne se dépensent pas beaucoup au travail, la marche rapide représente un moyen idéal de compenser ce manque d'activité physique.

La régularité des mouvements, l'apport en oxygène et le contact avec la nature permettent de diminuer le stress plus rapidement, les capacités de concentration et la création sont stimulées. Avec un entraînement régulier, vous serez bientôt gagné par un sentiment d'exaltation du fait de la sécrétion d'endorphines par votre organisme.

Grâce à ces hormones du bienêtre, vous ne vous départirez pas de votre calme, même dans les situations difficiles.

Plus l'environnement est reposant, plus la marche rapide vous fera du bien. Une rivière calme est le compagnon idéal pour une marche méditative.

Votre programme d'entraînement pour 12 semaines

1re à 12e semaine

Terrain : chemins plats en parc ou en forêt
Durée : 20 à 35 minutes
Fréquence : 3 fois par semaine
Fréquence cardiaque : 60 % à 75 % de la fréquence cardiaque maximale (220 moins votre âge)

Marcher sans stress

Dans votre vie quotidienne, vous devez sans cesse vous adapter à de nouvelles situations, répondre à de nouvelles exigences. C'est pourquoi votre programme de marche rapide pour les 3 prochains mois doit être exactement à l'opposé. Régulier, apaisant et décontractant (voir aussi « La marche zen », page 27).

➤ Choisissez des terrains faciles. Concentrez toute votre attention sur la profondeur régulière de vos inspirations. Autour de vous, la nature à l'état pur. Aucun bruit pour vous déranger, pas de circulation – et pas de baladeur sur les oreilles.

Bienfait pour les nerfs et les muscles

Marcher en excédent d'oxygène, c'est-à-dire en aérobie (page 6), ne fait pas que libérer les petits messagers du bonheur (endorphines) qui se répandent dans le système nerveux. Le système nerveux végétatif, épuisé par les exigences de performance posées par le travail et une nervosité permanente, s'apaise également. La quantité d'hormones de stress diminue.

La pression psychique a également des effets directs sur le tonus musculaire : les mouvements harmonieux de la marche rapide réduisent la contraction des muscles. Celle-ci apporte donc une réelle détente émotionnelle et physique.

Astuce

NON AU JET LAG !

Vous connaissez certainement le problème : le survol de plusieurs fuseaux horaires dérègle l'horloge interne. Il se passe souvent plusieurs jours avant que le rythme biologique s'adapte au lieu de destination, qui s'accompagne d'une grande fatigue et d'une tension interne.

➤ Vous souffrirez moins des effets du jet lag si vous réglez votre montre sur la nouvelle heure dès que vous êtes à bord et vous comportez comme si vous étiez déjà arrivé : être actif le jour, dormir la nuit. À votre arrivée, effectuez votre séance de marche à l'heure habituelle. C'est ainsi que vous laisserez le jet lag sur le bord de la route.

Par ailleurs, voyager est un moyen idéal pour découvrir de nouveaux territoires de marche. Vous trouverez dans de nombreux hôtels les informations correspondantes, parfois même les plans d'itinéraires de marche ou de jogging.

Pour en
savoir plus

À lire chez le même éditeur

Grillparzer M.,
 Brûleurs de graisses
 Programme d'alimentation
 Collection Vitalité et Harmonie
Grillparzer M.,
 Brûleurs de graisses
 Collection Santé Bien-être
Rüdiger M.,
 Modeler votre corps –
 Ventre-jambes-fesses
 Un peu d'efforts –
 beaucoup d'effet
 Collection Vitalité et Harmonie

Index

L'auteur

Margit Rüdiger, née à Munich en 1955, est spécialisée depuis de nombreuses années dans les domaines de la beauté et du fitness. Journaliste pour des magazines féminins tels que Madame, Elle et Marie-Claire, elle est également l'auteur de multiples ouvrages de conseils sur la beauté. Elle pratique elle-même la marche et le fitness depuis l'âge de 20 ans.

Remarque importante :

Les conseils du présent ouvrage ont fait l'objet de recherches rigoureuses et ont prouvé leur efficacité. Tous les lecteurs et lectrices sont cependant libres de choisir dans quelle mesure ils souhaitent appliquer ces indications. L'auteur et l'éditeur déclinent toute responsabilité quant aux résultats.

Traduction française de Frédérique Bath M'Wom

Pour l'édition originale, parue sous le titre *Liebesspiele Liebeszauber. Neue Kicks für mehr. Lust und Sinnlichkeit.*

© 2001 Gräfe und Unzer Verlag GmbH, München.

Pour la présente édition :

© 2003, Éditions Vigot – 23, rue de l'École-de-Médecine, 75006, Paris, France.

Dépôt légal : octobre 2003 – ISBN 2-7114-1586-4

Mise en page : FACOMPO – Lisieux.

Imprimé en France par Pollina - n° L91683B